Texte : Marie-Daniel...
Illustrations : Soph...

Gabriela et le chat sur le toit

À PAS DE LOUP

Niveau

2

Je sais déjà lire

Dominique et compagnie

À pas de loup avec liens Internet

www.dominiqueetcompagnie.com/pedagogie

ouvre la porte à une foule d'activités pour les enfants, les parents et les enseignants. Un véritable complément à l'apprentissage de la lecture !

**Catalogage avant publication
de Bibliothèque et Archives Canada**

Croteau, Marie-Danielle
Gabriela et le chat sur le toit
(À pas de loup. Niveau 2, Je sais déjà lire)
Pour enfants.

ISBN-13 : 978-2-89512-490-0
ISBN-10 : 2-89512-490-6

I. Casson, Sophie. II. Titre. III. Collection.

PS8555.R618G322 2006 jC843'.54 C2006-940104-7
PS9555.R618G322 2006

Directrice de collection : Lucie Papineau
Direction artistique et graphisme :
Primeau & Barey
Dépôt légal : 3e trimestre 2006
Bibliothèque et Archives nationales
du Québec
Bibliothèque nationale du Canada

Dominique et compagnie
300, rue Arran, Saint-Lambert
(Québec) Canada J4R 1K5
Téléphone : (514) 875-0327
Télécopieur : (450) 672-5448
Courriel : dominiqueetcie@editionsheritage.com
www.dominiqueetcompagnie.com

Imprimé au Canada

10 9 8 7 6 5 4 3 2 1

Nous remercions le Conseil des Arts du Canada de l'aide accordée à notre programme de publication.

Nous reconnaissons l'aide financière du gouvernement du Canada par l'entremise du Programme d'aide au développement de l'industrie de l'édition (PADIÉ) pour nos activités d'édition.

Nous reconnaissons l'aide financière du gouvernement du Québec par l'entremise du Programme de crédit d'impôt pour l'édition de livres – SODEC – et du Programme d'aide aux entreprises du livre et de l'édition spécialisée.

À Karina, Nicholas, Eric, Jessica et Jake, pour l'amour des livres.

Monsieur Pao, l'instituteur
de Gabriela, revient sur l'île
après un long congé. Il
rapporte des caisses et des
caisses de livres. Le capitaine
du bateau n'est pas content.
Si au moins l'instituteur transportait
des outils. Mais des livres !
C'est lourd et ça ne sert à rien.
Le capitaine bougonne :
– Vous allez nous faire couler !

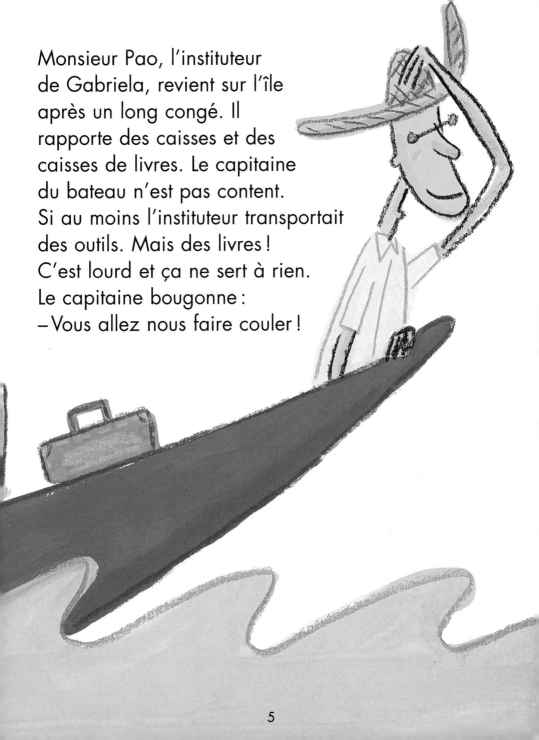

Tout le village attend monsieur Pao sur la plage.
Debout sur ses caisses, l'instituteur agite son
chapeau en direction de la rive.

Les gens aident monsieur
Pao à transporter ses
affaires. Ils aimeraient
savoir ce qu'il y a dans
ces caisses, mais personne
n'ose le demander.
Personne, sauf Gabriela.

Monsieur Pao est très occupé.
Pourtant, il s'arrête et lui répond,
les yeux brillants :
– Des livres !

Gabriela attend. Il doit bien y
avoir autre chose, car l'instituteur
semble ému comme on l'est
devant le plus beau des cadeaux.
Mais rien ne vient. Monsieur
Pao apporte des livres, et puis
c'est tout.

12

Gabriela demande à l'instituteur pourquoi
il en a autant. Monsieur Pao s'exclame :
– Parce que les livres font grandir !

Gabriela rit. Monsieur Pao est très grand.
Il a dû en manger des milliers !

Gabriela laisse monsieur Pao s'activer et va
retrouver Itoko. Son cousin a de gros ennuis. Il
a voulu jouer avec le chat du capitaine et il l'a
effrayé. Le chat a grimpé sur le toit de la maison
d'Itoko, et il ne veut pas redescendre. Le capitaine
sera très fâché. Son chat, il l'aime plus que tout.

Sur l'île de Gabriela, il n'y a ni pompier ni échelle. Comment faire ? Gabriela a une idée.

Elle court chez monsieur Pao et lui demande :
— Est-ce que les livres font vraiment grandir ?
— Mais oui, Gabriela. Ils élèvent l'esprit.
— Est-ce que l'esprit, c'est dans la tête ?
— Dans la tête et dans le cœur.

Gabriela explique à monsieur Pao qu'Itoko
a besoin d'élever son esprit très haut. Jusqu'au
ciel, presque, où s'est enfui le chat du capitaine.
L'instituteur sourit lorsqu'il découvre le plan de
Gabriela. Elle veut lui emprunter tous ses livres
et en faire un escabeau géant.
—Tu sais, dit-il, il suffit d'un seul livre pour
récupérer un chat sur un toit.

Gabriela fait la moue : avec
un seul livre, on ne peut pas
monter bien haut !

Monsieur Pao sort un vieux
bouquin. Il lui montre
l'illustration d'un outil fait
pour cueillir les fruits au
sommet de très grands arbres.
– Voici ce qu'il nous faut :
un panier, une longue perche,
une corde et une poulie.

Aussitôt, monsieur Pao démonte sa corde à linge
et dévisse le panier de son vélo. Pendant ce temps,
Gabriela et Itoko partent à la recherche d'une tige
de bambou.

Pas difficile : il en traîne partout sur leur
île ensoleillée.

Tout est prêt. Monsieur Pao tient le poteau.
Gabriela dépose dans le panier du poisson
frais et une demi-noix de coco avec son eau.
Ensuite, Itoko hisse doucement le panier.

C'est à ce moment que survient le capitaine.
Il cherche son chat. Quand il l'aperçoit là-haut,
tremblant de peur, son cœur se serre. Mais il se
retient de l'appeler, car il pourrait le faire tomber.
Alors il se tait et il croise les doigts.

Le chat avance à pas feutrés. Il hésite, renifle l'odeur du poisson et, finalement, saute dans le panier. Monsieur Pao recule de quelques pas. Itoko redescend la nacelle. Gabriela attrape le chat et se tourne vers le capitaine qui tend les bras.

Le chat se pelotonne dans le cou de son maître et ronronne. Le capitaine est heureux. Intrigué, il examine l'objet qui a sauvé son minet adoré.
–D'où vient cette idée extraordinaire?
–D'une boîte à outils, répond Itoko en lui tendant le bouquin.

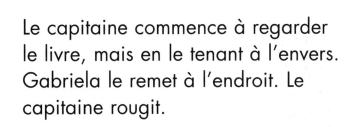

Le capitaine commence à regarder
le livre, mais en le tenant à l'envers.
Gabriela le remet à l'endroit. Le
capitaine rougit.

Maintenant, dans la classe de
monsieur Pao, il y a deux nouveaux
élèves : un vieux capitaine…

... et son chat !